BYMPYTI-BYMP

Bympyti-bymp

Ruth Morgan

Addasiad
Rhian Pierce Jones

Lluniau gan
Chris Glynn

GOMER

Argraffiad cyntaf—2001

ISBN 1 85902 970 1

ⓗ y testun: Ruth Morgan, 2001 ©
ⓗ yr addasiad Cymraeg: Rhian Pierce Jones, 2001 ©
ⓗ y lluniau: Chris Glynn, 2001 ©

Teitl gwreiddiol: *Bump in the Night*

Cyhoeddwyd gyntaf yn 2001 gan Pont Books,
argraffnod Gwasg Gomer, Llandysul.

Cyhoeddwyd dan gynllun comisiynu
Cyngor Llyfrau Cymru.

Dymuna'r cyhoeddwyr gydnabod cymorth
Adrannau Cyngor Llyfrau Cymru.

Panel golygyddol Llyfrau Lloerig:
Nia Gruffydd
Elizabeth Evans
Rhiannon Jones

Argraffwyd gan
Wasg Gomer, Llandysul, Ceredigion SA44 4QL

I
blant Ysgol Mynydd Bychan, Caerdydd
R. M. a C. G.

Yr Alwad Ffôn

Pwy ond Yncl Wil fyddai'n ffonio pan oedd Mam a minnau ar ganol clamp o ffrae arall am y ffrog forwyn briodas wirion 'na.

"Waeth gen i be ddeudi di," arthiodd Mam a'i hwyneb yn dechrau troi'n biws. "Mae'r ffrog yn ddel ac mae'n *rhaid* i ti ei gwisgo hi ddydd Sadwrn nesa i briodas Alys ni, licio neu beidio!"

Brring, brring . . .

"Ond dwi'n edrych fel candifflós mawr pinc ynddi hi!" protestiais. "Mae hi'n hyll a dydi hi ddim yn ffitio'n iawn."

"Mae hi yn y siop yn cael ei haltro. Dwi wedi egluro wrthat ti gant a mil o weithiau'n barod."

"Wna i ddim gwenu wrth gael tynnu fy llun," bygythiais innau am y canfed tro.

Brring, brring . . .

Camodd Mam at y ffôn a'i gwaed yn berwi. Pan glywodd lais Yncl Wil y pen arall, teimlai'n waeth o lawer.

"Yncl Wil sy 'na. Mae o eisio siarad efo ti," ochneidiodd. "Fflamia'r brawd gwirion 'na sy gen i am ffonio rŵan."

Ro'n i wedi bod yn disgwyl clywed gan Yncl Wil, ond fel ro'n i'n mynd i gydio yn y ffôn gafaelodd Mam yn dynnach ynddo.

"O nac wyt – ddim nes y byddi di'n addo gwisgo'r ffrog 'na," mynnodd.

"Ond Mam, plîs, mae hyn yn bwysig!"

"Ac mae'r briodas yn bwysig hefyd."

Cyn iddo frifo'i gefn, roedd Yncl Wil yn arfer gweithio yn Ynys y Barri. Mae ganddo hiraeth mawr am y ffair o hyd. Ond mae bòs y ffair yn dal i'w ffonio o bryd i'w gilydd, hynny yw, pan fydd o eisiau cael gwared ag unrhyw beth. A phan fydd y bòs yn ffonio Wil, bydd Wil wedyn yn fy ffonio i.

"Maen nhw wedi cyrraedd, Lowri fach! Maen nhw yma yn yr iard – y ddau ohonyn nhw."

Roedd cynnwrf mawr yn ei lais.

"Mi fydda i acw mewn chwinciad."

Sodrais y ffôn yn ei le a rhedais fel fflamiau am y sièd i nôl fy meic. Siarsiodd Mam y cawn i fynd draw i dŷ Wil (ac aros noson hyd yn oed – ro'n i'n gwneud hynny weithiau), ar *un* amod – fy mod i'n ôl adref erbyn deg o'r gloch y bore i fynd i'r siop i ail-drio'r ffrog.

Doedd gen i ddim dewis ond cytuno, ac felly i ffwrdd â fi.

Wrth feicio i fyny'r allt am dŷ Wil, allwn i ddim aros i gael gweld beth oedd Wil wedi'i gael y tro yma, ond ar yr un pryd roedd yr hen ffrog gandifflós erchyll 'na yn dal yng nghefn fy meddwl.

Yncl Wil

Diolch byth nad ydi Mam wedi bod draw yn nhŷ Wil yn ddiweddar. Byddai'n siŵr o ddychryn am ei bywyd!

Wrth i chi gamu trwy ddrws y ffrynt mi ddewch chi wyneb yn wyneb â pheth wmbredd o ddrychau. Mae un drych yn gwneud i chi edrych fel horwth enfawr efo pen pitw bach. Mae drych arall yn gwneud i chi edrych fel petaech chi'n bwyta gwellt eich gwely. Mae eich corff yn anghynnes o fain tra bod eich coesau a'ch breichiau cyn deneued ag edau. Lle ar y naw ydi o!

Gan fod drychau o bobtu'r wal, rydych chi'n gweld adlewyrchiad ar ôl adlewyrchiad ar ôl adlewyrchiad. "Hyd dragwyddoldeb," chwedl Wil.

Mae tŷ Wil yn mynd yn debycach i ffair bob dydd. Mae o wedi tynnu'r grisiau ac wedi gosod heltyr-sgeltyr yn ei le (hwylus iawn os ydych chi'n codi'n hwyr yn y bore!) Mae o'n cysgu mewn cwch siglo o'r ffair ac yn cadw'i ddillad mewn hen arch oedd yn arfer bod yn rhan o Dŷ'r Bwganod.

Ond heddiw, roedd gen i deimlad ym mêr fy esgyrn ei fod o wedi cael gafael ar rywbeth arbennig, rhywbeth yr oedd o wedi bod â'i lygaid arno ers tro.

Safai Wil wrth y drws yn aros amdana i, gan chwifio'i freichiau yn llawn cyffro.

"Maen nhw yma, maen nhw yma!" gwaeddodd. "Tyrd yn dy flaen – lle buost ti mor hir?"

Clymais fy meic yn sownd yn y barrau rheilin a thynnodd Wil fi i mewn i'r tŷ.

"Dydyn nhw ddim mewn cyflwr da," meddai. "Ond dim ots am hynny. Mae gen i baent o'r ffair yn y sièd. Mi rown ni lyfiad o baent iddyn nhw pnawn 'ma."

Aeth â fi drwy'r gegin (heibio i'r stondin cŵn poeth) ac allan i'r iard.

"Ew – maen nhw'n wych!" ebychais.

Syllais ar ddau gar bymper, ochr yn ochr – un coch ac un glas. Roedden nhw'n blastar o dolciau a rhwd.

"Ond be wyt ti'n bwriadu ei neud â nhw?"

Cododd Wil ei gap a chrafu ei ben moel.

"Wn i ddim," meddai'n feddylgar, "dwy gadair freichiau efallai? Er, mi fyddai'n rhyfedd gweld dau gar bymper o'r ffair yn llonydd hefyd."

Neidiais i mewn i'r car coch a chydio'n dynn yn y llyw. Doeddwn i ddim yn disgwyl i unrhyw beth ddigwydd – fyddai hynny ddim yn bosib, na fyddai? – ond wrth i mi gau fy llygaid cefais deimlad rhyfedd. Gallwn daeru nad yn nhŷ Yncl Wil yr oeddwn i ond, yn hytrach, yng nghanol miri'r ffair.

"Grêt, grêt," mwmiais gan grensian fy nannedd. Yna'n sydyn dechreuais ddychmygu pob math o bethau. Breuddwydiais fy mod i'n cipio rhywbeth tebyg i gandifflós oddi ar hanger dillad, ac yna'n gwasgu'r cyfan yn slwts mewn mwd.

Pan agorais fy llygaid, edrychais ar Wil. Roedd o'n dal i bendroni a chrafu ei ben.

"Na, paid â'u troi nhw'n ddwy gadair freichiau," dywedais yn bendant.

Bympyti-bymp!

Buom wrthi'n ddiwyd drwy'r pnawn yn peintio'r ddau gar. Cymerodd Wil y car glas a chymerais innau'r car coch. Yna penderfynais fentro i mewn iddo eto. Cefais yr un hen deimlad rhyfedd, ac wrth gau fy llygaid gallwn weld y ffrog gandifflós unwaith eto yn cael ei rhwygo'n rhacs dan olwynion y car. Pe bai hynny'n digwydd byddai'n rhaid i Mam adael i mi fynd i'r briodas yn fy ffrog ddu, gwta!

Cyn gorffen, peintiwyd wyneb ar du blaen bob car. Yna camodd Wil a minnau'n ôl i syllu ar y ceir ac i edmygu'n gwaith gan sglaffio ci poeth yr un pryd.

"I'r dim," cyhoeddodd Wil. "Pnawn da o waith. Rŵan, be rown ni'n enwau arnyn nhw? Dwi'n meddwl y galwa i f'un i yn Gorau Glas."

"Enw f'un i fydd . . ." oedais.

Pa fath o enw oedd yn gweddu i'r car?

"Hmm, dwyt ti ddim yn meddwl bod golwg braidd yn flin ar dy gar di?" awgrymodd Wil.

Roedd Wil yn llygad ei le. Edrychai wyneb Gorau Glas yn ddiniwed iawn o'i gymharu â'r olwg filain, ddrwg oedd ar wyneb y car coch.

"Mae o'n edrych yn rêl Coblyn Coch." A dyna setlo'r enw . . .

Roedd hi wedi hanner nos yn ôl y cloc larwm ar y bwrdd bach wrth ymyl fy nghwch siglo pan gefais fy neffro gan sŵn yn dod o gyfeiriad yr iard. Rhyw bymp . . . bympyti-bymp oedd o. Doedd o ddim yn sŵn uchel; roedd o'n debyg i sŵn gwynt yn ysgwyd drws pren yr iard.

Gwrandewais yn astud. Os mai'r gwynt oedd achos y sŵn, pam felly bod canghennau'r goeden drws nesa yn llonydd? Ac roedd sŵn gwynt bob amser i'w glywed yn simnai tŷ Wil. Ond nid heno.

Bymp . . . bymp . . . bympyti-bymp . . . Oedd y sŵn yn uwch y tro hwn? Ai dychmygu ro'n i? Neidiais o'r gwely a brasgamu at y ffenestr oedd yn wynebu'r iard.

Roedd hi'n dywyll fel bol buwch a phrin y gallwn weld dim. Ond roedd y sŵn i'w glywed yn uwch, doedd dim dwywaith am hynny.

Bymp . . . bymp . . . BYMPYTI-BYMP!

O dipyn i beth dechreuodd fy llygaid arfer â'r tywyllwch, yna rhuthrais i lofft Wil pan welais . . .

"Wil, deffra!" sgrechiais.

"B . . . b . . . be sy'n bod?" gofynnodd yn gysglyd, gan grafangu am y swits golau.

"Chredi di ddim . . . Dwi'n meddwl bod . . ."

"Be gebyst sy'n bod? Be ydi'r sŵn 'na?"

Peidiodd y sŵn bymp, bymp, ac yna'n sydyn clywsom GRAC a CHRENSH enfawr fel pe bai rhywbeth yn cael ei falu'n rhacs.

Saethodd y ddau ohonom fel bwled i lawr y grisiau a rhedeg am y drws cefn. Cydiodd Wil mewn torts a disgleiriodd y golau ar yr iard.

"Be gebyst . . ?" ochneidiodd Wil.

"O na!"

"Be ydi'r holl sŵn 'ma?"

Safai Mrs Ifans drws nesa yn ffenestr ei llofft ac roedd goleuadau i'w gweld yn ffenestri rhai o'r tai eraill erbyn hyn hefyd.

"Ym . . . ym . . . mae'n ddrwg gen i. Peidiwch â phoeni, mae popeth yn iawn," mynnodd Wil yn bendant.

Aeth Mrs Ifans yn ôl am ei gwely dan gwyno. Diffoddodd y goleuadau eraill fesul un. Diolch i'r drefn mai dim ond ni oedd wedi gweld beth ddigwyddodd.

Roedd tameidiau o bren yn britho'r iard. Yn y gornel bellaf swatiai Gorau Glas yn ei gwman a'i lygaid ofnus yn syllu ar y twll mawr yn y drws cefn – twll oedd yr un siâp yn union â'r Coblyn Coch . . .

Ar ei ôl o!

Doedd dim munud i'w golli.

"Rhaid bod rhywun wedi dwyn Coblyn!" meddai Wil. "Tyrd – ar eu holau nhw!"

Rhedodd i'r tŷ a chydio mewn dwy hen gôt oedd wedi'u bachu ar y drws cefn.

"Gwisga hon," meddai, gan daflu'r gôt goch ata i. "Does dim posib eu bod nhw wedi mynd yn bell iawn."

Sylwodd y ddau ohonom bod Gorau wedi camu allan o'r gornel fel pe bai'n cynnig help. Doedd dim amser i ddili-dalian . . .

I mewn i'r car bach â ni. Cydiodd Wil yn y llyw ac i ffwrdd â ni!

Roedd hi'n dywyll yn y stryd gefn. Trodd Gorau y naill ffordd ac yna'r ffordd arall, heb wybod yn iawn ble i fynd.

Roedd sbwriel wedi'i daenu yma ac acw ar hyd y stryd a biniau'n rowlio o'r naill ochr i'r llall.

"Taw am funud," sibrydodd Wil.

Oedodd y car ac arhosodd y tri ohonom yn berffaith llonydd gan glustfeinio am unrhyw sŵn.

Yn y pellter roedd sŵn bymp a chrash, bymp a chrash i'w glywed.

"Mae'r sŵn yn dod o'r cyfeiriad acw," pwyntiais.

"Rhaid bod y lladron yn dal yn y strydoedd cefn," cytunodd Wil. "Tyrd – mi sleifiwn ni ar eu holau'n ddistaw bach."

Llithrodd Gorau'n llechwraidd gan oedi wrth bob troad a gwrando er mwyn gwybod i ba gyfeiriad i droi.

"Ffordd yma, i'r dde . . ."

"Nage, ffordd acw!" Roedd yna hen ffraeo, ond rhywsut neu'i gilydd roedd y sŵn yn dod yn nes. Roedd y bymp a'r crash yn uwch a'r sbwriel fel conffeti ar hyd y ffordd.

O'r diwedd, fe lwyddon ni i ddal i fyny â nhw.

"Grêt," sibrydodd Wil. "Dydi'r ffordd hon ddim yn mynd i unman. Mi daliwn ni nhw yn y pen pella. Wyt ti'n barod, Gorau? Dwi am i ti ruthro rownd y tro a dychryn y lladron!"

Pwysodd Gorau ei sbardun ei hun a llamu
rownd y tro.

A dyna lle'r oedd Coblyn Coch yn mynd fel cath i gythraul gan daflu'r biniau'n wyllt i bob cyfeiriad!

Ond roedd Wil yn iawn. Roedd y car coch wedi'i gornelu ym mhen draw'r ffordd. Trodd i'n hwynebu.

Pan welodd Gorau yn gyrru ato, dechreuodd Coblyn Coch ysgyrnygu.

Fflachiodd Wil ei dorts arno. "Mae hi ar ben arnoch chi, y cnafon drwg," gwaeddodd Wil ar y lladron.

Stopiodd Gorau Glas yn stond. Syllodd Wil a fi yn syn.

Roedd y car yn wag. Doedd neb y tu ôl i'r llyw! Dechreuodd stêm godi o'r bonet, ac wrth i ni sefyll yno'n rhythu arno syllodd Coblyn Coch yn ôl yn wawdlyd.

"Rŵan ta – ym . . . ym . . . rwyt ti'n dod yn ôl efo ni," meddai Wil yn benderfynol. "Dim chwarae'n wirion . . .'

Erbyn hyn roedd olwynion Coblyn wedi dechrau troi.

Crynai Gorau'n ofnus.

"Gwell i ni symud o'r ffordd!" gwaeddais.

Ond roedd hi'n rhy hwyr. Gwibiodd Coblyn tuag atom . . . a . . . BYMP!

Taflwyd Wil a minnau allan o'r car bach glas. Yn ffodus, fe lanion ni ar bentwr meddal o fagiau bin . . . ond beth am Gorau druan?

Rhedodd y ddau ohonom ato. Roedd o wedi rowlio ar ei gefn a'i olwynion yn troi yn yr awyr. Roedd tolc mawr yn ei ochr.

Ar ôl bustachu a gwthio'n galed, llwyddom i'w droi'n ôl ar ei olwynion, ond yn y pellter gallem glywed sŵn chwerthin cras yn atsain i lawr y ffordd.

Yn y Dref

Ar ôl rhoi tipyn o faldod i Gorau, ymlaen â ni ar ôl Coblyn.

"Fy mai i ydi hyn i gyd, wyddost ti, Wil," meddwn i.

"Dy fai di? Be wyt ti'n feddwl?"

"Pan o'n i'n peintio'r car pnawn 'ma," dechreuais, "ro'n i'n teimlo'n andros o flin ac mae'n rhaid bod y teimladau drwg hynny wedi mynd i mewn i'r car. Wyt ti'n meddwl bod y fath beth yn bosib?"

"Mi greda i unrhyw beth ar ôl helynt heno," atebodd Wil gan ochneidio. "Pa ffordd aeth o, tybed?"

Roeddem wedi oedi ar gyrion y dref. Ar y chwith roedd y môr, a'r ffordd yn ôl i ganol y dref ar y dde.

Yn sydyn gwawriodd syniad erchyll yn fy meddwl.

"Wil, paid â gofyn pam, ond dwi'n siŵr mai yn ôl i ganol y dref y dylen ni fynd."

Roedd Gorau'n cytuno a throdd i'r dde.

"Gwna dy orau glas, Gorau Glas!" meddai Wil.

Roeddem wedi dewis y ffordd gywir, oherwydd cyn pen dim gwelsom bostyn lamp wedi'i sigo, bin sbwriel wedi'i droi ben i waered, a blodau wedi'u chwalu a'u malu.

"Gobeithio na fyddan nhw'n disgwyl i mi dalu am y llanast 'ma," cwynodd Wil.

"O leia rydan ni'n gwybod ein bod ni ar y trywydd iawn."

A dweud y gwir, ro'n i'n gwybod yn iawn ble roedd Coblyn yn bwriadu mynd.

"Mi wn i ble mae o'n mynd," mentrais mewn llais bach, euog.

Stopiodd Gorau'n stond.

"Dwed wrthon ni 'ta," meddai Wil yn gyffrous.

"Fyddi di ddim yn flin efo fi?"

"Na fyddaf, siŵr!"

Doedd dim amser i'w golli. Ar ôl egluro'r cyfan, saethodd y car bach i lawr y Stryd Fawr.

"Chei di byth ganiatâd gan dy fam i ddod ata i eto," mwmiodd Wil.

"Wn i," atebais. "Dim ond gobeithio y byddwn ni'n cyrraedd mewn pryd!"

Ond roedden ni'n rhy hwyr! Roedd y ffenestr wedi'i malu'n deilchion a thu mewn y siop yn un pentwr blêr o ffrogiau priodas sidan ac ôl teiars hyd-ddynt. I goroni'r cyfan roedd y larwm lladron yn canu'n uchel.

30

"Tyrd o 'ma cyn iddyn nhw feddwl mai ni sy'n gyfrifol am y llanast 'ma!" gwaeddodd Wil mewn braw.

Saethodd Gorau fel siòt i lawr y Stryd Fawr. Yn sydyn, pwy ddaeth i'r golwg o'n blaenau ond Coblyn. Er ei fod yn bell i ffwrdd roedd yn hawdd i'w nabod gan fod ffrog binc wedi'i bachu ar ei gefn.

"Fy ffrog forwyn briodas i!" llefais. "Rhaid i mi ei hachub hi neu mi laddith Mam fi!"

Sut oedd modd egluro mai hon oedd yr unig ffrog i gael ei dwyn o'r siop?

"Dal dy afael," meddai Wil. "Meddylia'n galed am funud. Pan oeddet ti'n peintio'r car pnawn 'ma, be oedd yn mynd trwy dy feddwl di ar ôl cipio'r ffrog?"

"Ro'n i am ei sathru hi yn y baw," cyfaddefais. "A gyrru drosti nes ei bod hi'n rhacs gyrbibion."

"Mwd. Hmm," meddyliodd Wil yn galed. "Lle byddet ti'n dod i hyd i fwd?"

"Y cae pêl-droed!" sgrechiais. "Dyna lle mae o'n mynd. Tyrd, Gorau, cyn ei bod hi'n rhy hwyr!"

Rhwydo Coblyn

Roedd cae pêl-droed Y Barri bob amser yn fwdlyd yr adeg hon o'r flwyddyn. Roedd o'n futrach fyth gan fod gêm newydd gael ei chwarae y pnawn hwnnw.

Sgleiniodd Wil ei dorts a gweld Coblyn yn troi ac yn troelli gan wneud siâp rhif wyth ar y cae. Roedd y ffrog wedi'i bachu ar ei gefn fel hwyl ar gwch. Roedd hi'n dal mewn un darn, ond am ba hyd?

"Ar ei ôl o!" cyhoeddodd Wil.

Ar ôl pwyso'r sbardun, gwibiodd Gorau ar hyd y glaswellt.

Stopiodd Coblyn ac ysgyrnygu arnom unwaith yn rhagor.

"Stopia!" dwrdiais. "Dwi eisio gwisgo'r ffrog 'na. Paid ti â meiddio gwneud dim byd iddi."

Am eiliad edrychodd Coblyn fel pe bai'n deall. Arafodd, a diflannodd yr olwg gas oedd ar ei wyneb.

"Mae hi'n ffrog ddel, tydi," dywedais.

Gwenodd Coblyn a nodio.

"Felly paid â bod yn Goblyn bach drwg – a rho'r ffrog yn ôl. Ar unwaith!"

BBRRWWWM!

Gan chwerthin yn aflafar, trodd ei olwynion yn sydyn nes bod mwd yn tasgu drosom.

"Ar ei ôl o eto!" gwaeddodd Wil. Roedd y ras wedi ailgychwyn.

Bu'r ddau gar yn rasio, y naill ar ôl y llall, am gryn ugain munud. Taflai Coblyn y ffrog yn uchel i'r awyr, a'i dal wrth iddi ddisgyn i'r ddaear. Roedd Gorau wedi blino'n lân.

"Chwarae mae o," awgrymais. "Be am drio tynnu ei sylw rywsut?"

". . . mae gen i syniad," atebodd Wil. "Tyn dy gôt. Dwi wedi gweld rhaglenni teledu'n dangos pobl yn gneud hyn efo teirw."

Tynnais y gôt goch a'i rhoi i Wil, oedd erbyn hyn yn sefyll yn ei sedd. Chwifiodd y gôt yn yr awyr.

"*Toro! Toro!*" galwodd.

Trodd Coblyn ac edrych ar y gôt. Gwyrodd ei ben yn barod i ymosod, ac yna gyrrodd ar wib tuag atom.

"*Olé!*" gwaeddodd Wil, gan gipio'r gôt o'r awyr ar y funud olaf. Pasiodd Coblyn heibio i'r ochr arall.

Trodd Coblyn a pharatôdd Wil ei hun i wneud yr un gamp eto – "*Toro! Olé!*" gwaeddodd fel ymladdwr teirw go iawn.

Roedd Coblyn yn dechrau colli ei limpyn. Ysgyrnygodd a rhuo'n wyllt.

Roeddem wedi'i gornelu wrth y pyst.

"Un cynnig arall!" gwaeddodd Wil.

Pasiodd y car o dan y gôt ac i gefn y rhwyd. Dechreuodd Coblyn droi mewn cylch wrth sylweddoli na allai fynd dim pellach. Caeodd y rhwyd amdano.

"Allan o'r ffordd, Gorau!" gwaeddodd Wil.

Stopiodd Gorau jest mewn pryd cyn i'r pyst a'r rhwyd ddymchwel ar ben Coblyn. Roedd o wedi'i ddal yn sownd.

"Tyrd i achub y blincyn ffrog 'na wir," meddai Wil.

Popeth yn ei le

Weithiau mae'n anodd dweud y gwir, yn tydi? Sut ar y ddaear y gallwn i adrodd hanes Coblyn Coch wrth Mam?

"Mam, mi wnaeth car bymper ddwyn fy ffrog i o'r siop a mynd â hi i'r cae pêl-droed cyn mynd yn hollol wallgo!"

Na, ambell dro mae'n haws dweud dim. A dyna wnaethon ni.

Felly, ar ôl i'r heddlu adael y siop, dyma sleifio'n ôl a gadael y ffrog fwdlyd mewn lle amlwg ar ben bin cyfagos. Drwy drugaredd roedd hi'n dal yn gyfan, mewn un darn.

Delio efo Coblyn oedd y broblem fwyaf. Cymerodd ddwy awr i ni lusgo'r car adref ar hyd y strydoedd tywyll. Roedd o'n sownd yn y rhwyd o hyd. Cyn gynted ag y cyrhaeddon ni'r iard, aeth

Wil ati'n syth bìn i dynnu'r olwynion ac yna rhoddodd y car dan glo yn y sièd.

Roedd penawdau bras yn y papur newydd drannoeth:

"FANDALIAID YN GWNEUD DIFROD DIFRIFOL" ond methodd yr heddlu'n lân â dal neb. Rhaid bod 'y fandaliaid' wedi'i heglu hi o'r dref.

Cafodd Alys ni briodas hyfryd. Doedd fy ffrog innau fawr gwaeth ar ôl iddi gael ei glanhau yn y siop a gwenais yn ddel wrth gael tynnu fy llun. Mi fues i'n ufudd drwy'r dydd. Pam? Er mwyn i mi gael mynd i dŷ Wil ddydd Sadwrn, wrth gwrs. Roedd 'na rywbeth pwysig yn digwydd fore Sadwrn . . .

"Fy Mrawd Gwallgo!"

Roedd Wil wedi cuddio'i dŷ dan gynfas fawr. Mewn gwirionedd, nid un gynfas oedd hi ond nifer o gynfasau wedi'u gwnïo at ei gilydd. Wyddai neb beth oedd yn mynd ymlaen yno. Cyfrinach Wil (a fi) oedd hynny. Ar y to roedd arwydd yn dweud:

AGORIAD SWYDDOGOL
DYDD SADWRN 10.30 a.m.

Er fy mod i'n gwybod yn iawn beth oedd cynllun Wil, ddywedais i yr un gair wrth neb. Roedd Wil hyd yn oed wedi estyn gwahoddiad i Mam er mwyn ei phlesio. Hi oedd am gael y fraint o ddadorchuddio'r tŷ ac, yn rhyfedd ddigon, roedd hi wedi cytuno er na wyddai beth ar y ddaear oedd bwriad ei brawd.

Heb golli amser, roedd Wil wedi mynd i'r afael â Coblyn ac wedi'i ailbeintio yn lliw melyn. Rhoddodd wyneb newydd iddo hefyd. Oedd, roedd Arwr Aur yn bartner ardderchog i Gorau Glas ac roedd y ddau wedi cymryd at ei gilydd yn syth.

Ond roedd un cwestiwn yn dal heb ei ateb: beth oedd Wil am ei wneud â'r ceir? Yn sicr doedd o ddim am eu troi'n ddwy gadair freichiau. Yna cafodd syniad gwych!

Erbyn deg o'r gloch roedd torf fawr o bobl yn sefyll y tu allan i dŷ Wil. Yn wir, roedd cymaint o bobl yno nes bod y ffordd wedi'i chau. Am bum munud ar hugain wedi deg cyrhaeddodd Mam, yn gwisgo'i siwt orau. Roedd golwg syn ar ei hwyneb pan welodd yr holl bobl, a cherddodd trwy'r dorf tuag at Wil.

Mynnodd Wil ddistawrwydd.

"Mi hoffwn i ddeud gair neu ddau," dechreuodd. "Mae pawb wedi bod yn ceisio dyfalu be dwi wedi bod yn neud yma. Wel, bore 'ma mi gewch chi weld! Mae fy annwyl chwaer wedi cytuno i ddadorchuddio'r cyfan. Mae croeso i bawb ddod i weld fy nhŷ i, er na fydd yna ddim lle i bawb yr un pryd! Gobeithio y cewch chi lot fawr o hwyl!"

Gwnaeth arwydd ar Mam i dynnu'r cortyn. Syrthiodd y llen o gynfasau ac ochneidiodd y dorf wrth ryfeddu at yr olygfa o'i blaen.

Rhedai trac o gwmpas y tŷ a dros y to. Wrth i Wil dynnu lifer bychan, daeth Gorau Glas ac Arwr Aur i'r golwg ar grib y to a gwibio i lawr gan lanio SBLASH! yng nghanol y pwll yn yr ardd.

Yna, ar ôl diflannu rownd cornel y tŷ, daeth y ddau gar i'r golwg eto a saethu i lawr y to i'r pwll am yr eildro. Aeth y dorf yn wyllt! Safai Mam yn syn a'i cheg ar agor.

"Ac mae 'na ragor i'w weld y tu mewn i'r tŷ," gwaeddodd Wil. "Mae gan Lowri, fy nith, docynnau wedi'u rhifo er mwyn i bawb gael hwyl yn Nhŷ Hwyl-a-Sbri Wil!"

Daliai Mam i sefyll yn ei hunfan yn fud. Ond, erbyn diwedd y pnawn roedd hithau wedi ymuno yn yr hwyl hefyd.

"Fy mrawd gwallgo!" meddai Mam ar ôl i'r bobl i gyd fynd. "Wn i ddim i bwy mae o'n debyg, wir, na wn i. Does 'na neb arall 'run fath â fo yn ein teulu ni." Trodd i edrych arna i a daeth rhyw olwg ryfedd i'w llygaid.

"O, mae Wil yn ocê," dywedais wrthi. "Peidiwch â phoeni, mi gadwa i lygad arno, rhag ofn iddo fynd dros ben llestri."

Ac i mewn â ni i gael ci poeth a chandifflós.

LLYFRAU LLOERIG

Teitlau eraill gan Gomer
yn y gyfres hon.

Mae'r llyfrau wedi eu graddoli yn ôl iaith a chynnwys.
Nodir y lefelau trwy gyfrwng sêr.

Grŵp 1 * (syml):
Codi Bwganod, addas. Ieuan Griffith

Grŵp 2 ** (canolig):
3 x 3 = Ych-a-Fi!, Siân Lewis
Cofiwch Bwyso'r Botwm Neu . . . Mair Wynn Hughes
Mins Sbei, Siân Lewis
Mins Trei, Siân Lewis
Y Fferwr Fferau, addas. Meinir P. Jones
Y Fflit-Fflat, addas. Meinir P. Jones
Mistar Ffrancenstein, addas. Emily Huws
Miss Bwgan, addas. Emily Huws

Grŵp 3 *** (estynnol):

Yr Aderyn Aur, addas. Emily Huws
'Chi'n Bril, Bòs!', addas. Glenys Howells
Tŷ Newydd Sbonc, addas. Brenda Wyn Jones
Ble mae Modryb Magi? addas. Alwena Williams
Merch y Brenin Braw, addas. Ieuan Griffith
Newid Mân, Newid Mawr, addas. Dylan Williams
Pwy sy'n Ferch Glyfar, 'te? addas. Siân Lewis
Un o Fil, Meinir Pierce Jones

Llyfrau Arswyd Lloerig ***

Y Gors Arswydus, addas. Ross Davies
Mistar Bwci-Bo, addas. Beryl S. Jones